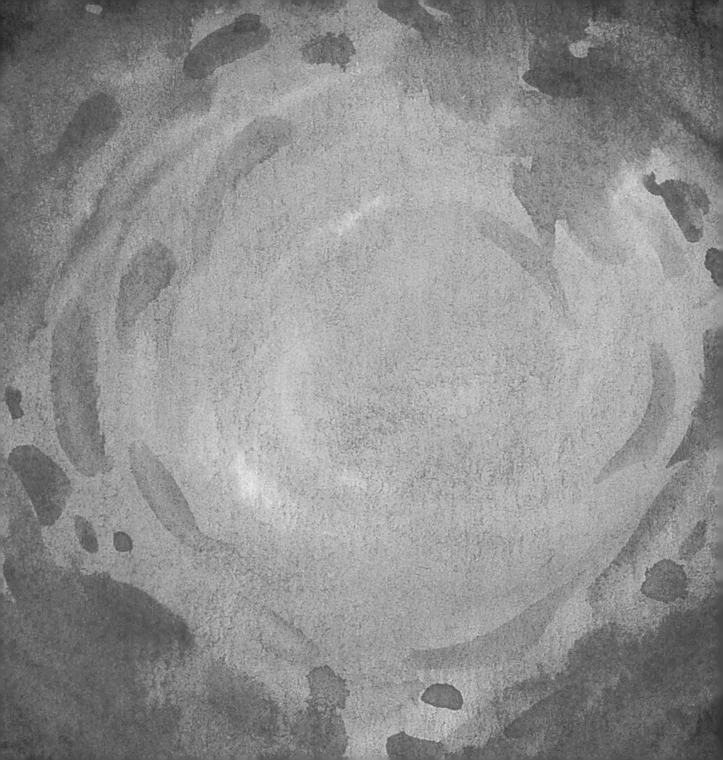

我可以很勇敢

一起培養耐挫力

文 蘇珊·維爾德 Susan Verde　　圖 彼得·雷諾茲 Peter H. Reynolds　　譯 劉清彥

獻給我的英雄 Gabe，

他從不害怕跌倒再爬起來。你很勇敢。

── 蘇珊·維爾德

獻給 Purnell "Nell" Sabky，

他教會我們愛、勇氣和韌性，還有團結的力量。

── 彼得·雷諾茲

國家圖書館出版品預行編目 (CIP) 資料

我可以很勇敢：一起培養耐挫力/蘇珊.維
爾德(Susan Verde)文；彼得.雷諾茲(Peter H.
Reynolds)圖；劉清彥譯. -- 第一版. -- 臺北
市：親子天下股份有限公司, 2022.04
40面；20x20公分. – (繪本；296)
注音版
譯自：I am courage
ISBN 978-626-305-175-1(精裝)

874.599   111001246

繪本 0296

我可以很勇敢 一起培養耐挫力

作者｜蘇珊·維爾德（Susan Verde） 繪者｜彼得·雷諾茲（Peter H. Reynolds） 譯者｜劉清彥

責任編輯｜陳毓書、謝宗穎 美術設計｜林子晴 行銷企劃｜王予農、溫詩潔

天下雜誌群創辦人｜殷允芃 董事長兼執行長｜何琦瑜

媒體暨產品事業群 總經理｜游玉雪 副總經理｜林彥傑

總編輯｜林欣靜 行銷總監｜林育菁 副總監｜蔡忠琦 版權主任｜何晨瑋、黃微真

出版者｜親子天下股份有限公司 地址｜台北市 104 建國北路一段 96 號 4 樓

電話｜（02）2509-2800 傳真｜（02）2509-2462 網址｜www.parenting.com.tw

讀者服務專線｜（02）2662-0332 週一～週五：09:00~17:30 傳真｜（02）2662-6048 客服信箱｜parenting@cw.com.tw

法律顧問｜台英國際商務法律事務所·羅明通律師

製版印刷｜中原造像股份有限公司 總經銷｜大和圖書有限公司 電話：（02）8990-2588

出版日期｜2022 年 4 月第一版第一次印行
        2024 年 6 月第一版第三次印行

定價｜320 元 書號｜BKKP0296P ISBN｜978-626-305-175-1（精裝）

訂購服務───────────────────────

親子天下 Shopping｜shopping.parenting.com.tw 海外·大量訂購｜parenting@cw.com.tw

書香花園｜台北市建國北路二段 6 巷 11 號 電話（02）2506-1635 劃撥帳號｜50331356 親子天下股份有限公司

立即購買＞

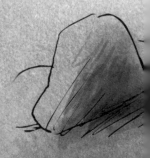

當前方有很多挑戰，

當我覺得搖搖晃晃，

好像快要跌倒……

我想要回頭、
想放棄。

當_{ㄉㄤ}我_{ㄨㄛ}的_{ㄉㄜ}頭_{ㄊㄡ}腦_{ㄋㄠ}告_{ㄍㄠ}訴_{ㄙㄨ}我_{ㄨㄛ}：「你_{ㄋㄧ}辦_{ㄅㄢ}不_{ㄅㄨ}到_{ㄉㄠ}。」

我可以專注在自己的內心，
找到潛藏在心裡最深處的力量，

然後，告訴自己：

「我可以，我做得到！」

我對之後的事情充滿信心，
我接下挑戰，
繼續前進。

我一步一步繼續往前，
鼓起勇氣前進。

我可以很勇敢。

我ㄨㄛˇ相ㄒㄧㄤ信ㄒㄧㄣˋ我ㄨㄛˇ的ㄉㄜ˙膽ㄉㄢˇ量ㄌㄧㄤˋ，
我ㄨㄛˇ相ㄒㄧㄤ信ㄒㄧㄣˋ我ㄨㄛˇ自ㄗˋ己ㄐㄧˇ。

就算害怕，我還是會持續前進。

我會堅持下去。

就算跌倒，我還是會再爬起來，
我可以從挫折中恢復。

我會倚靠身邊的人，
我不怕開口請別人幫忙。

當有人對自己感到懷疑，
我會過去鼓勵他們，
我可以激勵別人。

我知道分享自己的經歷，

一點都不丟臉，

我很願意分享。

當別人有困難的時候，
我願意走向他們。
我知道怎麼幫忙。

我可以為別人開路，清除前方的障礙，
我以身作則。

當_{ㄉㄤ}我_{ㄨˇ}感_{ㄍㄢˇ}覺_{ㄐㄩㄝˊ}不_{ㄅㄨˋ}太_{ㄊㄞˋ}確_{ㄑㄩㄝˋ}定_{ㄉㄧㄥˋ}，

開_{ㄎㄞ}始_{ㄕˇ}失_ㄕ去_{ㄑㄩˋ}平_{ㄆㄧㄥˊ}衡_{ㄏㄥˊ}時_{ㄕˊ}，

我能找回重心，
我會集中力量。

我知道自己是什麼樣的人。

我可以
很勇敢。

我可以持續前進，

我們都可以持續前進。

我們很強壯，
我們很有能力，
我們很重要。

我們可以很勇敢。

而ㄦˊ且ㄑㄧㄝˇ，我ㄨㄛˇ們ㄇㄣ˙一ㄧˊ定ㄉㄧㄥˋ會ㄏㄨㄟˋ
成ㄔㄥˊ功ㄍㄨㄥ回ㄏㄨㄟˊ來ㄌㄞˊ。

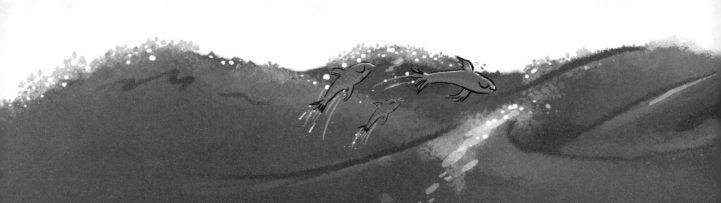

作者的話

　　當我們認為某個人很勇敢時，常常想到的是他毫無畏懼、奮勇屠龍，或是橫跨世界克服所有困難的樣子。從表面來看，他們或許什麼都不怕，事實卻不盡然。雖然我們恐懼的事物不同，但恐懼的感覺卻是一樣的。我們沒有必要隱藏，我們可以談論這樣的感受。勇敢並非無所畏懼；真正的勇氣是身處恐懼，卻仍面對挑戰，不管那代表著要尋求幫助、坦承自己的處境，或是屠龍。恐懼能創造機會，促使你成長，讓你化解危機。

《我可以很勇敢》是則關於在我們感到害怕或不安的時候，如何在自己的內心尋得勇氣的故事。正因如此，我們可以每天都很勇敢，就算跌倒，也有足夠的能力再站起來，繼續前進。我們都可以很勇敢。

　　當孩子努力成為自己在世上所喜愛的模樣，並重拾自己的聲音和耐挫力時，瑜珈和覺察的練習，可以幫助孩子在安全和非競爭性的場域裡建立勇氣。瑜珈讓我們以充滿好奇和親近的態度接近挑戰，讓我們有機會觀察自己的恐懼，去辨認是否真的深陷險境，或是我們仍可以持續前進。有些瑜珈動作很困難，做的時候可能會跌倒；有些動作則強而有力，能展現自己內在的力量。我們可以把練習瑜珈時所展現的勇氣，帶入日常生活。練習瑜珈時，大腦會釋放出化學物質，減低恐懼和壓力，增強耐受力。藉著嘗試困難的事物，我們自然而然的脫離舒適圈，面對挑戰。我們可以帶著這些勇氣踏入世界。

自我覺察能培養我們對於恐懼的意識，讓我們和恐懼拉開距離，不至於迷失在其中。自我覺察的方法很簡單，只需要專注在呼吸上。感到恐懼時，專注在自己的呼吸節奏，這可以讓你暫停下來，放鬆，做決定，將事物看得更清楚——讓你能更輕易地決定是要繼續前進，或是停下來面對真正的危險。

　　接下來是幾個特別的瑜珈姿勢和呼吸技巧，能幫助你建立信心和勇氣，往成為一個勇敢的人的目標邁進！

暮光式：這是個能增強大腿和核心力量的姿勢，因為需要一點想像力，因此有時也被稱為「幻椅式」。

站直，雙腳併攏，膝蓋微彎，重心放向後腳跟，將雙臂盡可能往頭頂上方伸展。你全身都能感受到這個姿勢。維持這個姿勢不容易，可以將注意力集中在鼻子的吸吐，慢慢數到十；或是想像自己即將勇敢的發射進入太空。
你很**勇敢**！

戰士三式：戰士的姿勢能增強我們的信心，讓我們覺得自己很強大。這個姿勢特別需要平衡感和專注力，這讓我們覺得自己一無所懼。

站直，雙腳併攏，合掌，將雙臂向上伸直。接著腰部前傾，將一隻腿向後抬起，伸直，同時雙臂向前伸，直到手臂、頭和抬起的腿都在同一條水平面上，整個身體像是英文字母 T。確保你的髖關節朝下，背部平坦，眼睛專注直視瑜珈墊或地板上的某個點，鼻子吸吐。好好感受你的身體在維持這個姿勢時的力量，看你可以保持這樣的平衡狀態多久。經過幾次緩慢的深呼吸後，回復站姿，放下手臂，直到你準備好換另一隻腿。試試看哪一邊比較困難，也留意自己所感受到的力量。

獅子呼吸式：誰能比強而有力的獅子更勇敢呢？這是一個擺脫恐懼和焦慮，並釋放出你內在獅子，讓你獲得勇氣的絕佳方法。首先，跪在地上，往後坐上腳踝，手掌自然的平放在大腿上。手掌前推的同時，用鼻子深呼吸，然後在吐氣時，放鬆手臂，伸出舌頭，接著用盡全力大喊出聲！剛開始你可能會覺得很蠢，但做了幾輪之後，就會感到自己變得更有力量、更有精神，彷彿內心的恐懼都隨著每一次的吼叫而消失了。

平穩呼吸式：這項覺察呼吸的方法能讓你達到身心平衡。我們在感到恐懼時，心跳會加速，呼吸也會變得急促，彷彿喘不過氣。平穩的呼吸能讓我們把事情放緩，讓我們不再將注意力放在恐懼上。首先，以舒服的姿勢坐直或平躺下來，閉上眼睛，雙手放上腹部，隨著鼻子的吸吐，開始注意自己的呼吸。接著，在呼吸中加入讀秒，目的是要刻意讓呼吸平緩下來。吸氣時從一默數到三，吐氣時也一樣。當你習慣之後，可以再多加一兩秒，最後可能可以在換氣之間，數到六或六秒以上。

連續做幾輪，直到自己感到平穩放鬆。如果一不留神忘了讀秒也不必擔心，重新開始就好。結束時，記得慢慢睜開雙眼，花點時間留意自己的感受，再起身回到自己的生活。

別忘了提醒自己：你做到了！我知道你可以，因為你很勇敢。